Kiki
la coquette

Pour ma merveilleuse sœur Amber
et pour l'avenue Holmwood :
la rue épatante de mon enfance.

Catalogage avant publication de Bibliothèque et Archives Canada
May, Kyla
[Kiki. Français]
Kiki la coquette / Kyla May ; texte français d'Isabelle Montagnier.
(Chemin du lotus ; 1)
Traduction de : Kiki.
ISBN 978-1-4431-4340-0 (couverture souple)
I. Montagnier, Isabelle, traducteur II. Titre. III. Titre : Kiki.
Français.
PZ23.M426888Ki 2015   j823'.92   C2014-906192-7

Édition publiée par les Éditions Scholastic, 604, rue King Ouest, Toronto (Ontario) M5V 1E1.

5 4 3 2 1   Imprimé au Canada 121   15 16 17 18 19

MIXTE
Papier issu de
sources responsables
FSC
www.fsc.org   FSC® C004071

CHEMIN DU LOTUS

Kiki
la coquette

Kyla May

Texte français d'Isabelle Montagnier

Éditions
SCHOLASTIC

✿ TABLE DES MATIÈRES

CE
JOURNAL
APPARTIENT À
Kiki

Chapitre 1

Kiki

Tout sur moi

Jeudi

~~Bonjour~~ ... ~~Salut Journal~~ ... ?
~~Bienvenue~~ ... Tadam!
Je me présente : je m'appelle Kiki et je
suis une vedette mondiale de la **mode!**

Bon, j'exagère peut-être un peu! **JDB!**
Je ne suis pas <u>encore</u> sur le
tapis rouge! (Je suis désolée, je
dois m'habituer à cette idée d'écrire
un journal.)

JDB=
Je dépasse les
bornes

Je recommence à zéro ...

Cher journal,

Je m'appelle Kiki Louise Kirouac. J'ai un chiot et trois poules. Je suis aussi la plus vieille dans ma famille (après mon père et ma mère).

Et j'ADORE collectionner les faits véridiques.

 Un jour, je serai une GRANDE créatrice de mode.

 J'ai tendance à m'inquiéter.

 Je fais partie du Club des filles du chemin du Lotus (**CFCL** en bref).

Laissez-moi vous en dire plus sur le CFCL.
Je suis la **MAV**
de Coco Corvino et de Lulu Lyon, mes deux amies du chemin du Lotus. Nous avons fondé le CFCL afin de pouvoir passer TOUT notre temps ensemble.

Nous habitons toutes les trois sur le chemin du Lotus, la plus jolie rue du quartier des **Perles d'Ambre.**

Ma maison

Chaque semaine, le CFCL organise des activités amusantes :

	LUNDI	MARDI	MERCREDI
Nom du club	Collimage génial	Toilettage des toutous	Métamorphose en 10 minutes
Activité du club	Faire des collages avec des photos	Pomponner nos animaux	Soins des pieds et des mains, coiffure
Lieu du club	Maison de Kiki	Jardin de Coco	Chambre de Lulu

EMPLOI DU TEMPS DU CFCL

JEUDI	VENDREDI	SAMEDI	DIMANCHE
JOUR DE CONGÉ	Soirée pyjama	Petits gâteaux à gogo	JOUR DE CONGÉ
	Regarder des films, manger du maïs soufflé, jaser	Préparer des petits gâteaux	
	Chez Kiki, Lulu ou Coco	Cuisine de Coco	

Revenons à **TOI**, cher journal!

Ce matin, maman m'a fait une surprise : toi!
Maman voyage souvent pour son travail. Elle
m'a fait cadeau de toi pour que j'écrive tout ce
qui arrive dans ma vie superélégante pendant
ses absences. Maman sera partie la semaine
prochaine, alors il faut que je m'habitue à tenir
mon journal. Je dois écrire ce qui se passe dans
ma vie en ce moment, c'est bien ça?

Demain, c'est un « vendredi vêtements dans le
vent » (V V V) à l'école, alors nous pouvons porter
ce que nous voulons. Étant donné que je suis une
fashionista, je me dois d'avoir l'air sublime! (J'ai
oublié de préciser que je vais à l'école élémentaire
des Perles d'Ambre.)

Bon, Maxi, concentrons-nous sur la mode.
Oups, je ne t'ai encore parlé de Maxi.

C'est mon chien, et c'est
le chien le plus mignon du
quartier et peut-être du
monde.

Maxi m'aide habituellement à choisir mes tenues.
Mais en ce moment, il ne m'aide PAS DU TOUT!!!

VRAI

Maxi n'est PAS le chien
le mieux élevé du
quartier!

**Regarde-le! Il cache des
vêtements sous mon lit!**

Que penses-tu de cette tenue pour le vendredi vêtements dans le vent?

Ou de celle-ci?

Ou de celle-ci?

ZUT! Il se fait tard, alors je ferais mieux d'aller me coucher. Le choix de ma tenue devra attendre jusqu'à demain matin.

Bonne nuit, journal! (zzzZ)

Chapitre 2

Vendredi

Oh non! J'ai fait un cauchemar terrible la nuit dernière. C'était affreux! Et maintenant, ça arrive vraiment : je ne sais pas quoi porter pour le vendredi vêtements dans le vent.

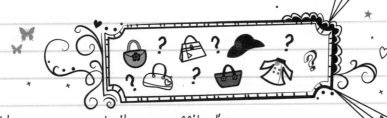

Heureusement, il me suffit d'envoyer un message à mes MAV! Coco et Lulu vont me sauver!

Kiki: SOS! k portez vs auj?

Coco: Aucune idée.

Lulu: Vous 2 av pas encore dcid?!!!

Kiki: Je mets ça?

1ʳᵉid

Kiki: Ou ça?

2°id

Coco: Les 2? Hum… oc1? JNSP :)

Lulu: J'<3 la 2e id. Magnifique!!!
A+ @ l'école
P.-S. : Relève tes cheveux avec une frange sur le côté!

Lulu a choisi sa tenue
V V V il y a des semaines.

On dirait que la 2ᵉ tenue l'emporte!
Adieu cauchemar. Ouf!

Je suis si chanceuse d'avoir des

MAVE si FORMIDABLES. Dis donc,
journal, je ne t'ai pas encore
beaucoup parlé des autres

membres du
CFCL!

MAVE=
meilleures amies
pour la vie
entière

Pays de la pizza et des pâtes

Italie

Son chien
Enzo

Coco

Voici Coco. Elle habite au n° 6, chemin du Lotus et
c'est la meilleure cuisinière et pâtissière que je
connaisse. Ses parents viennent d'Italie... Toute sa
famille adore les pâtes!

Voici Lulu. Elle habite au n° 8, chemin du Lotus. La devise de Lulu : économiser de l'argent et planifier son avenir. Elle dit toujours des choses comme « L'avenir, c'est maintenant » et « Si tu peux l'imaginer, tu peux le faire ».

Lulu

Et elle est à moitié française parce que son père vient de France. Cool, hein?

France

Blanche, sa chatte. Elle se prend pour un chien.

Oh non! regarde l'heure! Je ferais mieux de m'habiller pour le V V V.

Je te retrouve après l'école.

OH LÀ LÀ! Quelle journée!!!!! Ma tenue a été (évidemment, hum...) un grand succès! La tenue de Lulu était très chouette aussi. Et Coco, eh bien, disons qu'elle n'♥ pas la mode autant que nous.

POUR UNE SOIRÉE PYJAMA RÉUSSIE

☑ **DVD Diane détective**

☑ **Maïs soufflé**

Je dois y aller! Les filles du chemin du Lotus vont arriver d'une minute à l'autre pour la soirée pyjama du CFCL. Cette semaine, c'est chez moi. Le thème de la soirée est « Diane détective »! Lulu apporte du maïs soufflé. Coco apporte le film ***Diane détective et l'escalier dérobé***, avec Pénélope Brillant. Le film est en tête du palmarès de nos dix films préférés de tous les temps.

N°1

VRAI Coco, Lulu et moi ADORONS Diane détective!

J' DIANE DÉTECTIVE

Diane résout des énigmes mystérieuses en laissant des traces de brillants partout derrière elle. Cool non? Lulu dit qu'un jour le CFCL devrait ouvrir une agence de détectives tout comme dans les films Diane détective.

Je dois y aller. J'ai plein de choses à faire. **Ciao!**

P.-S. Regarde tout ce que j'ai préparé pour la soirée pyjama!

CIAO=
« Bonjour » et « au revoir » en italien

Chapitre 3

Trop fatiguée pour penser

Samedi

MINUIT

VRAI

Lulu, Coco et moi avons discuté jusqu'à minuit.

VRAI

CFCL qui parle jusqu'à minuit = Parents mécontents.

CFCL qui parle jusqu'à minuit = Filles du chemin du Lotus endormies.

VRAI

Je suis SI fatiguée aujourd'hui! J'ai tout de même réussi à descendre manger du délicieux gruau avec Lulu et Coco avant qu'elles ne rentrent chez elles. Puis je suis retournée me coucher.

Maman vient de me dire de me dépêcher de m'habiller. Mais je n'ai RIEN à me mettre. Zut. J'ai porté tous mes vêtements cool au moins une fois. J'ai essayé de dire ça à maman, mais elle s'est contentée de répondre :

Kiki, en mode, tout a déjà été fait.
Il faut faire du NEUF avec du vieux.

Maman doit avoir raison puisqu'elle connaît la mode mieux que tout le monde. Elle est VÉRITABLEMENT styliste. Son métier consiste à habiller des gens pour des défilés de mode et autres événements. Alors maman est la meilleure personne avec qui aller magasiner, surtout quand il s'agit de virées de magasinage dans des boutiques de vêtements **vintage**.

VINTAGE
une façon chic de dire « vieux »

Regarde les vêtements que maman et moi avons trouvés la semaine dernière :

chandail des années 80

chapeau des années 60

foulard des années 70

barrette des années 30

pantalon des années 30

pochette

sabots

Hum... Aujourd'hui, je pourrais porter le foulard en guise de ceinture...?

Et ajouter cette jupe comme haut?

Et peut-être utiliser cette barrette en guise de broche?

Je dois envoyer une photo de ma tenue à Lulu. Elle va l'adorer.

Kiki: Bjr L. Regarde ma tenue d'auj. Tu <3?

Lulu: J'ADORE!!!! ♡ ♡ Tu <3 mes cheveux?

Kiki: Super b1! A+ @ PGG!

PGG= Petits gâteaux à gogo

Bon, je vais descendre maintenant...

Cher journal, j'ai oublié de te parler de quelque chose hier! Tu vois, on a un nouveau projet à réaliser pour mon cours d'art. Mlle Mélissa (mon enseignante préférée dans le monde entier) nous a demandé de choisir un domaine artistique qui nous « passionne » vraiment (cela veut dire quelque chose qui nous intéresse vraiment... aucun rapport avec le fruit de la passion).

Mardi, nous devrons dire à Mlle Mélissa quel type d'art nous utiliserons pour ce projet.

J'♥ LA MODE

Hier soir, à la soirée pyjama du CFCL, Coco, Lulu et moi avons choisi nos passions artistiques. Lulu a choisi la poterie (parce qu'elle a l'intention de vendre des vases).

 Lulu trouve toujours des idées qui rapportent de l'argent.

Coco a choisi la peinture (parce que les peintres les plus célèbres de l'histoire étaient italiens, comme elle).

Et moi, j'ai choisi la création de mode, bien sûr!

Mon projet consiste à créer 4 tenues en 12 jours (𝗔𝗔𝗔𝗛!). Je présenterai mes créations lors d'un défilé de mode durant l'assemblée de l'école.
Lulu et Coco ont proposé d'être mes mannequins. Les œuvres de Lulu et de Coco seront également exposées ce jour-là. Oh! j'oubliais : des prix seront remis et je veux vraiment en gagner un!!

Ce projet est super!

Je dois me dépêcher d'aller chez Coco pour les Petits gâteaux à gogo! Aujourd'hui, nous allons faire ma recette préférée de tous les temps : saveur de framboise avec glaçage à la vanille. C'est **exquis!** Salut!

EXQUIS =
mot chic qui veut dire « délicieux »

MES 5 SAVEURS PRÉFÉRÉES

1. Framboise avec glaçage à la vanille
2. Délice aux cerises et au chocolat
3. Double chocolat avec glaçage rose
4. Rêve aux cerises et à la noix de coco
5. Fraise avec glaçage aux framboises

Chapitre 4

Plage privée

Dimanche

GRANDE NOUVELLE : Une nouvelle famille s'installe dans la maison voisine... C'est super! J'ai TELLEMENT hâte de la rencontrer!

Hum... Je devrais faire enquête comme Diane détective! Jusqu'à présent, ce matin, j'ai vu livrer les articles suivants :

- Une adorable maison de poupées

- Un super vélo avec des banderoles brillantes

- Une guitare rose Diane détective

Mon sixième sens de détective me dit qu'une fille de mon âge va emménager. Je me demande si je m'entendrai bien avec elle. Et si Coco et Lulu l'aimeront aussi.

Il y a sûrement quelqu'un à la porte parce que Maxi aboie furieusement. Je dois y aller!

Fausse alerte! Il n'y avait personne, mais je crois que je viens de voir arriver un VRAI poney chez les voisins. Un poney dans notre rue!?!

27

L'année dernière, j'ai supplié papa et maman de m'acheter un poney, mais j'ai eu 3 poules à la place : Henriette, Paulette et Bruno. Quand Bruno était petit, on pensait que c'était un mâle. Mais il s'est avéré qu'il s'agissait d'une femelle (Bruno doit être un peu perdu lui aussi!)

VRAI Même les poules doivent avoir belle allure.

Comme Henriette, Paulette et Bruno pondent beaucoup d'œufs, on mange beaucoup d'œufs : des œufs brouillés, des œufs pochés, des œufs au plat...

VRAI Les œufs ne sont plus aussi délicieux quand on doit en manger TOUT le temps.

Maman veut que j'aille dire bonjour aux nouveaux voisins... et que je leur porte des œufs! Vraiment? Des œufs? Je dois filer.

Ma maison

La maison des voisins

Personne n'a répondu à la porte, alors j'ai laissé les œufs sur leur perron. Il y avait beaucoup de boîtes. Et si elles tombent et écrasent les œufs? Et si ça fait peur au poney et qu'il saute par-dessus la barrière, écrase les fleurs de maman et... Argh! Bon, je vais arrêter de m'inquiéter. (Tu vois, j'ai tendance à m'inquiéter)

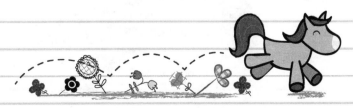

Hein? Maintenant, il y a un camion plein de sable chez les voisins. Je vois une fille de mon âge dans le jardin. Elle a l'air cool. J'adore ses vêtements. Elle porte une jupe très mignonne. Et son haut est superbe.

Mais revenons à la question du sable.
Pourquoi autant de sable? Vont-ils aménager une plage dans leur jardin? J'adore aller à la plage!

Vont-ils construire une pyramide?

Ont-ils des fourmis géantes apprivoisées?

Salut! Bonjour! Ciao! GutenTag!

Ou peut-être qu'ils vont construire un château de sable gigantesque pour les visites de sirènes royales?

Espérons que ce sera une plage. Ce serait génial! Les filles du CCL pourraient aller surfer quand elles voudraient! Je suppose qu'il faudrait aussi de l'eau pour que ça marche... Je te tiendrai au courant, cher journal. J'ai tellement hâte d'en parler à Lulu et à Coco demain à l'école. À bi1to!

À bi1to = À bientôt

Chapitre 5

Pas du tout MDR!

MDR = Mort de rire

Lundi

DÉSASTRE!

Petit retour en arrière... Hier après-midi, j'ai eu la meilleure idée AU MONDE! J'ai décidé de porter aux nouveaux voisins des petits gâteaux tout frais (ceux de la journée Petits gâteaux à gogo). Pourquoi n'y ai-je pas pensé <u>avant</u> de leur donner des œufs? DES ŒUFS? Franchement. On ne sait jamais. Il y a <u>peut-être</u> une future fille du CFCL chez les voisins, alors je dois lui faire un accueil chaleureux.

Bon, en tout cas, j'ai préparé une boîte de petits gâteaux aux framboises et à la vanille. Mais en sortant de la maison, j'ai laissé la porte de la clôture ouverte!

OUPS.

Maxi est sorti en courant et il s'est précipité dans la cour arrière des nouveaux voisins. Il a commencé à creuser le sable et a fait d'ÉNORMES dégâts!

Ensuite, le chien des voisins (qui n'est PAS un poney en fin de compte, mais qui est bel et bien le plus grand chien que j'aie jamais vu) a commencé à aboyer après Maxi.

J'ai couru vers eux à toutes jambes.

Eh bien, la fille aux vêtements cool était là.
Elle était vraiment jolie, mais aussi très TRÈS
contrariée. Elle s'appelle Mika.

Le sable est en partie destiné au jardin « zen »
de sa famille. La famille de Mika arrive du Japon.
Elle m'a dit que ses parents voulaient un jardin
zen afin d'ajouter un élément japonais à leur
nouvelle maison.

Je me suis sentie si mal que j'ai dit

« je suis désolée » un million de fois.

Je suis désolée. Je suis désolée. Je suis désolée.
Je suis désolée. Je suis désolée. Je suis désolée.
Je suis désolée. Je suis désolée. Je suis désolée.
Je suis désolée. Je suis désolée. Je suis désolée.
Je suis désolée. Je suis désolée. Je suis désolée.
Je suis désolée. Je suis désolée. Je suis désolée.
Je suis désolée. Je suis désolée. Je suis désolée.
Je suis désolée. Je suis désolée. Je suis désolée.
Je suis désolée. Je suis désolée. Je suis désolée.
Je suis désolée. Je suis désolée. Je suis désolée.
Je suis désolée. Je suis désolée. Je suis désolée.
Je suis désolée. Je suis désolée. Je suis désolée.
Je suis désolée. Je suis désolée. Je suis désolée.
Je suis désolée. Je suis désolée. Je suis désolée.
Je suis désolée. Je suis désolée. Je suis désolée.
Je suis désolée. Je suis désolée. Je suis désolée.

Et j'ai dit que Maxi ne l'avait pas fait exprès.
Puis j'ai essayé de faire rire Mika en disant :
« J'aurais peut-être dû apporter une pelle à la
place des petits gâteaux » (hi hi). Mais Mika
n'a pas ri. Elle a répondu : « La prochaine
fois que ton chien vient dans ma cour,
j'appelle la fourrière! »

Tout ça m'a bouleversée. Je lui ai laissé les petits gâteaux et je suis rentrée à la maison en courant. Quelle fille méchante! Ce n'était pas la faute de Maxi. Mika est archi-méchante.

Maman dit que c'est difficile de déménager dans un nouvel endroit, surtout quand on vient d'un pays aussi lointain que le Japon. Elle est sûre que Mika n'était pas sérieuse quand elle a mentionné la fourrière.

PAYS LOINTAIN

La nouvelle maison de Mika

JE N'Y CROIS PAS!

Mika:

Bâtisseuse de châteaux de sable ➡ NON!
Collectionneuse de fourmis ➡ NON!
Surfeuse ➡ NON!
Nouvelle MAV et future membre du CFCL
➡ JAMAIS DE LA VIE!!!!!

Tout ça est arrivé hier. Mais attends, journal. Aujourd'hui, les choses sont allées de mal en pis...

Tu ne devineras jamais! Non seulement Mika va à mon école, mais en plus elle est dans MA classe!

Entre le cours de maths et celui d'études sociales, j'ai raconté mon drame à Coco et à Lulu. Elles n'arrivent pas à croire que Mika soit si méchante. Pendant la récréation, Coco a dit que Mika m'avait montrée du doigt à Cathy Krupski (la reine des méchantes à l'école)! Je suis sûre qu'elles sont déjà MAV. Ce serait totalement logique.

Cathy Krupski

Mika Maeda

J'ai demandé à Mlle Mélissa ce qu'étaient des jardins zen, alors elle m'a prêté un livre sur le Japon.

Tout sur le JAPON

VRAI Les jardins zen viennent du Japon.

VRAI Des roches, BEAUCOUP de sable, de petits arbres et des plantes sont disposés afin de former de minipaysages.

VRAI Le sable représente l'eau. On le ratisse en formant des vagues afin qu'il ressemble à une mer ou à une rivière.

(Pas besoin de maillot de bain. 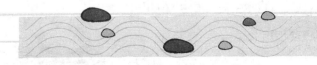)

VRAI Le mot « zen » veut dire paisible.

VRAI Maxi n'est PAS zen.

En fait, les jardins zen sont assez chouettes. Je vais en faire le thème du Collimage génial ce soir.

ENTK, j'attends demain avec impatience : je vais dire à Mlle Mélissa que j'ai choisi la mode pour le GRAND projet d'art! Ça va être super! Bon, Lulu et Coco arrivent, alors je dois y aller. À demain!

ENTK= en tout cas

Chapitre 6

J'ai le droit de m'inquiéter

Mardi

Comme je suis une vedette de la mode, j'aime changer de vêtements tout au long de la journée selon mon humeur. Toutes les vedettes le font, n'est-ce pas? En ce moment, j'ai envie de bleu marine. Peut-être une robe? L'une de mes mannequins préférées portait beaucoup de jolies robes. Elle s'appelait Twiggy.

TWIGGY= mannequin emblématique des années 60

Twiggy portait des robes comme celle-ci ➡

Je continuerai d'écrire après l'école!

Aujourd'hui, pendant le cours d'art, mon projet a été TOTALEMENT gâché par Mika la méchante! Elle a choisi la mode comme passion, tout comme moi!!! QUELLE COPIEUSE!

Et je parie que Mika sera vraiment bonne pour créer des tenues. Celle qu'elle portait aujourd'hui était encore mieux que celle d'hier.

LA TENUE DE MIKA AUJOURD'HUI ➡

j'♥ son sac en forme de cœur!

Je suis vraiment déconcertée par le choix de Mika. Alors, je n'ai aucune idée pour ma création mode maintenant. Maman dit toujours :

> **Pour être créative, il faut d'abord avoir l'inspiration.**

Ce livre sur le Japon m'a inspirée pour le collimage d'hier. Pourrait-il être une source d'inspiration pour mes créations de mode aussi? Je vais continuer à le lire ce soir.

moi !

maxi

Le collimage que j'ai réalisé hier soir.

Maintenant, je dois aller chez Coco pour le Toilettage des toutous. Il faut absolument que je mette Maxi en laisse... Je ne veux pas qu'il se retrouve à la fourrière!!

 Chapitre 7

J' ♥ Coco

Mercredi

Maxi

Blanche

Enzo

Hier, le Toilettage des toutous était si amusant! Est-ce que je t'ai déjà dit que le CFCL se réunit toutes les semaines pour traiter nos amis à quatre pattes comme des princes? On fait cela chez Coco (elle adore les animaux!)

Que penses-tu du nouveau look de Maxi? Les rubans à pois étaient une idée de Coco!

Blanche, la chatte-chien

Cher journal, voici Blanche. Oui, tu as raison, ce n'est pas un chien : c'est une chatte. Elle appartient à Lulu. Mais comme elle se prend pour un chien, elle vient au Toilettage des toutous. Elle rapporte même des bâtons pour jouer!

Ce matin, maman m'a réveillée SUPER tôt. Elle part en voyage une semaine entière. Ça veut dire sept jours complets!! Zut. Je comptais vraiment sur son aide pour mon projet d'art! DE PLUS, elle va manquer mon défilé de mode mercredi prochain!!! ☹

Maman

Elle me manque déjà TELLEMENT (multiplié par 50 millions) et elle est partie depuis seulement 24 heures . Mais quand maman n'est pas là, papa me laisse regarder la télé plus tard le soir. Et quand elle revient, elle me rapporte toujours des super cadeaux.

La dernière fois, j'ai eu un béret. C'est une sorte de chapeau rond et plat en feutre que les gens portent en France.

béret

Je suis bien contente de t'avoir, cher journal. Comme ça, je pourrai raconter à maman tout ce qu'elle a manqué. Est-ce que je t'ai dit que Coco et Lulu veulent avoir des journaux intimes elles aussi?

Aujourd'hui, à l'école, Mlle Mélissa a apporté plein de tissus pour les élèves qui ont choisi la mode. Elle nous a dit de choisir deux tissus. J'ai choisi un tissu avec des cerisiers en fleurs et un autre avec des éventails.

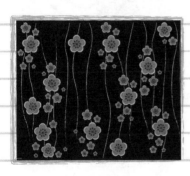

Surprise, surprise... Mika a choisi EXACTEMENT les mêmes tissus (tu parles d'une copieuse!) Comment puis-je faire des créations originales si Mika me copie tout le temps?

Oh! C'est l'heure de la Métamorphose en 10 minutes chez Lulu! Lulu adore les coiffures et les vedettes de cinéma. Et elle a une tonne de magazines. Aujourd'hui, elle va nous montrer son magazine le plus récent! À+

Lors de la Métamorphose en 10 minutes, nous avons passé 10 minutes à nous coiffer et une <u>heure</u> à parler de Mika. ENTK, regarde la dernière coiffure de Lulu! Superbe, hein?

♡ LA NOUVELLE COIFFURE DE LULU ♡

Lulu et Coco ont de si beaux cheveux. J'aimerais bien avoir les cheveux de Lulu. Mais Lulu aimerait avoir mes cheveux. Je suppose que ce que maman dit est vrai :

On veut toujours ce que l'on n'a pas.

Je suis si chanceuse que Coco et Lulu m'aident durant cette période difficile avec Mika. Voici ce qu'elles m'ont dit après le cours d'art aujourd'hui...

« mika n'aurait pas dû choisir les mêmes tissus que toi. » — Lulu

« Elle essaie de te surpasser, Kiki, c'est évident. » — Coco

« Ouais, même si elle voulait ces tissus, c'est toi qui les as choisis en premier, alors elle aurait dû en choisir d'autres. » — Lulu

On s'entend toutes pour dire que ce que Mika a fait aujourd'hui n'était

VRAIMENT PAS COOL.

Chapitre 8

C'est dur d'être talentueuse

Jeudi

Regarde ma tenue.
C'est un désastre.

Je suis SIIIII stressée par le défilé de mode de la semaine prochaine! Demain, on doit présenter nos dessins en classe. **OH LÀ LÀ!** Je suis <u>sûre</u> que j'ai le syndrome de la page blanche : je n'ai aucune idée. Mon téléphone vient de biper. C'est maman qui m'envoie un message texte de Milan!

Maman: Bjr Kikinette! QDN? Je suis très ocp. Voici ce que j'ai fait auj. Tu vas b1? Biz 💜

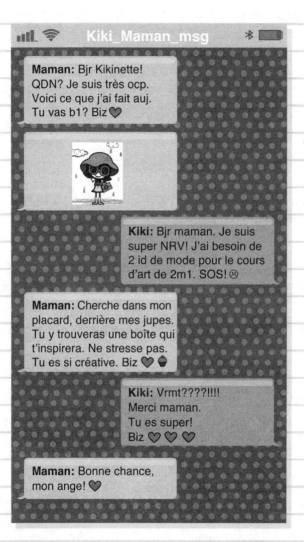

Kiki: Bjr maman. Je suis super NRV! J'ai besoin de 2 id de mode pour le cours d'art de 2m1. SOS! 😣

Maman: Cherche dans mon placard, derrière mes jupes. Tu y trouveras une boîte qui t'inspirera. Ne stresse pas. Tu es si créative. Biz 💜 🧁

Kiki: Vrmt????!!!! Merci maman. Tu es super! Biz 💜 💜 💜

Maman: Bonne chance, mon ange! 💜

× ☆ Ceci requiert une rencontre exceptionnelle du CFCL

Kiki: Rencontre exceptionnelle du CFCL. Chez moi **TDS!** Biz, Kiki ♡

TDS = Tout de suite

Youpi... Je suis si excitée! D'habitude, je n'ai JAMAIS le droit d'aller dans le placard de maman. J'ai hâte que les filles arrivent. Oooh, je viens d'entendre la sonnette de la porte d'entrée. Je dois aller ouvrir. À plus tard!

Coco, Lulu et moi avons ouvert la boîte. Oh là là! C'était incroyable. Nous avons trouvé des tonnes de kimonos japonais à l'intérieur faits avec des tissus extraordinaires. (Je savais que c'étaient des kimonos parce qu'il y en avait dans le livre de Mlle Mélissa sur le Japon!)

Un kimono est un vêtement japonais porté par les hommes, les femmes et les enfants.

VRAI

kimono

VRAI Même les lutteurs de sumo portent des kimonos.

VRAI Un kimono a la forme d'un grand T avec des manches larges.

VRAI Un kimono se croise sur le devant du corps. Le côté gauche se croise toujours sur le côté droit (tout comme mon peignoir!).

VRAI Un kimono est ceinturé avec un ruban large appelé « obi ».

VRAI Je suis totalement inspirée par les kimonos de maman!

Coco et Lulu m'ont aidée à dessiner des idées géniales. J'ai enfin trouvé l'inspiration! HOURRAAAAAAA!

Chapitre 9

De mal en pis

Milan
(ITALIE)

Vendredi

Aujourd'hui, je vais porter
quelque chose d'italien
parce que maman est
à Milan, en Italie. C'est
l'une des capitales de la
mode dans le monde. Je
t'en dirai plus ce soir.
À+. **CIAO!**

Oh non... Ce qui aurait dû être une journée géniale s'est transformé en journée pas géniale du tout. Je suis allée au cours d'art prête à montrer mes dessins d'hier soir. Mais Mika a demandé à passer en premier et Mlle Mélissa a accepté. (Elle n'avait aucune idée de ce qui se tramait.) Tout le monde a ADORÉ les dessins de Mika. Cela n'aurait pas été un problème si ses créations ne ressemblaient pas autant aux miennes... mais en mieux!!

Coco et Lulu n'en croyaient pas leurs yeux elles non plus. Voici ce qu'elles ont dit à l'heure du midi (pratiquement mot pour mot) :

« mika t'a totalement copiée, Kiki! Elle doit avoir des espions! » — Coco

« Ouais! mika doit être ton ennemie. Tout comme l'ennemie de Diane, Sonia, la sournoise! » — Lulu

Lulu s'emporte un peu parfois, mais elle a peut-être raison cette fois-ci.

La création de Mika

Ma création

VRAI Mika Maeda est un « paquet de troubles »!

Après la classe, j'ai dit à Mlle Mélissa qu'à mon avis Mika me copiait.

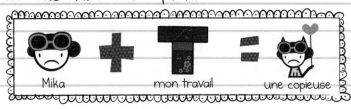

Mika   mon travail   une copieuse

Mlle Mélissa a fait venir Mika pour que nous en parlions « entre quatre yeux ». Pourquoi est-ce que les enseignants font ça? Mika a commencé par dire : « Kiki est la copieuse! Quand elle est venue chez moi, elle a dû voir les kimonos de ma famille, qui sont accrochés au mur! »

J'ai dit : « Je ne suis même pas entrée dans la maison de Mika! Coco et Lulu m'ont aidée à trouver cette idée hier. »

Mlle Mélissa nous a demandé de nous calmer. Mais Mika a renchéri : « Ma grand-mère, qui vient aussi du Japon, sait tout sur les kimonos. C'est ELLE qui m'a aidée à trouver cette idée BIEN avant hier! »

Mlle Mélissa a dit que Mika et moi étions juste sur « la même longueur d'onde créatrice » et qu'il était évident que personne n'avait copié personne. Nous ne sommes absolument PAS sur la même longueur sur QUOI QUE CE SOIT! Je ne ressemble pas du tout à Mika! Je suis MOI, un point c'est tout!

Moi   Mika

Après, la situation a encore empiré. Mlle Mélissa a dit qu'elle voulait que Mika et moi travaillions ENSEMBLE sur une banderole pour le défilé de mode durant la récréation de lundi.

CE N'EST PAS JUSTE!!!!!

Dieu merci, ce soir, c'est la soirée pyjama du CFCL. J'ai TELLEMENT besoin de passer du temps avec les filles du CFCL. La soirée pyjama se passe chez Lulu et le thème est la France. Le père de Lulu en revient et il nous a rapporté plein de bonnes choses à manger... J'ai tellement hâte!

Chapitre 10

Des fleurs de cerisiers

Samedi

La soirée pyjama d'hier soir était SI amusante!
Nous avons mis des bérets et fait semblant
d'être en France. Pour le dessert, le papa de
Lulu a fait des croissants et nous avons mangé
des fraises. — **MIAM!**

croissant

VRAI — Le père de Lulu cuisine bien mieux que mon père.

Nous avons regardé le film **Diane détective à Paris**, dans lequel quelqu'un fait semblant d'être Diane et gâche sa réputation. Après le film, Lulu a dit quelque chose qui m'a vraiment fait peur :

« Peut-être que Mika fait semblant d'être toi, tout comme le sosie diabolique de Diane! » — **Lulu**

Comme je l'ai déjà dit, Lulu a tendance à exagérer. Mais... attends une minute. Peut-être qu'elle a raison! Et si Mika essayait de se faire passer pour moi? Je m'explique : Mlle Mélissa a dit que nous étions sur la même longueur d'onde créative. Par ailleurs, Mika a un excellent sens de la mode et elle habite dans la même rue. Peut-être qu'elle va venir habiter chez moi et que mes parents ne se rendront même pas compte qu'elle se fait passer pour moi! (Dans le film, la mère de Diane n'y avait vu que du feu!). Oh non!!

Mais ce matin, je me suis rendu compte que c'était ridicule. Les films de Diane détective enflamment trop notre imagination!

hier soir

maintenant

Le papa de Lulu a préparé du pain perdu avec des tranches d'oranges pour le déjeuner. Cela m'a remis les idées en place.

VRAI — Pain perdu, c'est ainsi que les Français appellent le pain doré.

Alors, maintenant, je suis à la maison et j'essaie de transformer mes dessins en vêtements. Hum... ma machine à coudre me donne un peu de fil à retordre, mais je fais des progrès. J'adore cet imprimé de cerisiers en fleurs.

Je me demande à quoi ressembleront les créations de Mika. Comme Mlle Mélissa a approuvé nos dessins (qui se ressemblent beaucoup!!), je crains que nos tenues soient identiques. Je veux que mes modèles soient uniques et fabuleux, pas les mêmes que cette méchante Mika! Et je ne veux <u>absolument</u> pas travailler sur cette banderole avec Mika lundi.

Grrr. Encore un jour à me ronger les sangs. D'habitude, j'adore les idées de Mlle Mélissa, mais cette idée de collaboration n'est pas sa meilleure trouvaille.

Bon, je dois aller à la soirée Petits gâteaux à gogo! À+

Chapitre 11

La couture, quelle aventure

Dimanche

Papa a essayé de m'aider avec la machine à coudre aujourd'hui...

Voici les résultats :

Je lui ai dit que j'avais très envie d'une de ses délicieuses omelettes. <u>Toutes</u> les excuses étaient bonnes pour qu'il cesse de m'aider!

 VRAI

Papa = **ABSOLUMENT PAS** créatif. DÉSOLÉE, PAPA!

Hier, quand on faisait les petits gâteaux, les filles et moi avons parlé de ce projet agaçant de banderole. Je n'ai <u>vraiment</u> pas hâte que ce soit la récréation, demain! Coco a essayé de me remonter le moral avec sa dernière recette de petits gâteaux : pépites de chocolat et de caramel avec un glaçage au chocolat! **MIAM! MIAM!**

Pendant que nous décorions nos délicieuses créations, Coco et Lulu m'ont raconté comment leurs propres projets artistiques progressaient...

Coco a fait un portrait d'Enzo. Il est formidable.
J'aimerais être aussi bonne en peinture qu'elle.

Lulu a presque fini ses poteries : elle a fait trois
vases et une tirelire. Elle envisage de
vendre les vases et de garder la tirelire
(pour y mettre l'argent de ses ventes!).

Bon, je dois retourner à ma machine à coudre. Ensuite,
ce sera le temps de me coucher. Je vais sans doute
avoir du mal à dormir ce soir... ☹

 Chapitre 12

Les meilleures amies du monde

Lundi

SACRÉE BANNIÈRE! Aujourd'hui, j'ai fait de gros efforts pour être gentille avec Mika pendant que je faisais TOUS les dessins sur la banderole (Mika était chargée d'écrire les mots). Mais Mika était SI impolie. Regarde les deux dessins que j'ai faits :

Et lis ce qui est arrivé après...

« J'ai fait 2 dessins pour notre bannière. Lequel est le plus joli : celui du lotus ou bien celui du chat? » – moi

« Lequel est le chat? » – Mika

« Celui-ci. Tu ne vois pas ses moustaches? » – moi

« Oh, je pensais que c'était un poisson. » – Mika

(Ça ne ressemble PAS DU TOUT à un poisson!

« Est-ce que je t'ai demandé si tu aimais le lotus ou le poisson? » – moi

« Non, c'est pour ça que je trouvais bizarre que tu dessines un poisson. » – Mika

(??!!#%)

« Ce n'est pas un poisson. » – moi

« Alors, pourquoi est-ce qu'il a des moustaches? » – Mika

« Parce que c'est un chat, pas un poisson! » – me

« Un poisson-chat? » – Mika

(Elle se croit si intelligente! Elle m'a même souri en disant ça!)

« Peu importe. Alors, tu préfères le lotus? » – moi

« Lequel est le lotus? » – Mika

« Bon, je pense qu'on a fini. » – moi

La cloche de la récréation a sonné juste à temps. Mlle Mélissa a dit que notre banderole ferait l'affaire puisqu'il fallait l'accrocher aujourd'hui. OUF!

DÉFILÉ DE MODE
MERCREDI

Après l'école, Coco et Lulu sont venues chez moi pour l'heure du Collimage génial. Mais on a décidé de travailler sur nos projets d'art à la place. Soudain la sonnette a retenti.

Tu ne devineras jamais qui c'était : Mika! Elle a dit qu'elle voulait s'excuser pour le « malentendu » poisson/chat. Je n'en croyais pas mes oreilles. Est-ce qu'elle essayait d'être gentille? Papa l'a invitée à entrer!

Eh bien, ça va te sembler incroyable, mais c'était relativement amusant d'être ensemble toutes les quatre. Et Mika est vraiment bonne en couture. Tout s'est bien passé, jusqu'à ce que Coco et Lulu essaient mes kimonos. Ce sont mes mannequins, tu te souviens?

Puis Mika a dit :

« Peut-être que ces kimonos iraient mieux à maxi? » – Mika

Je ne pouvais pas en croire mes oreilles. Mika est SIIII impolie! Coco et Lulu étaient vraiment contrariées. Voici ce qui s'est passé après :

« Veux-tu dire que maxi est plus joli que nous deux? » – **Coco**

« Veux-tu dire que nous ressemblons à des chiens? » – **Lulu**

« Euh, non, je ne voulais pas tout à faire dire ça. maxi serait juste... » – **Mika**

« mais enfin, mika! Coco et Lulu sont très jolies. Au moins, moi, j'ai des amies qui veulent défiler avec mes vêtements! Et toi, tu as qui? maxi devrait être ton mannequin puisque personne n'acceptera d'aider quelqu'un d'aussi méchant que toi! » – **moi**

Je bouillonnais de colère :

Mika est devenue toute rouge. Puis elle a regardé mon chien des pieds à la tête et elle est sortie en courant de la maison.

Coco, Lulu et moi nous sommes regardées longuement sans rien dire. Puis nous nous sommes remises au travail. Je suppose que nous savions toutes que j'avais dit des paroles plutôt méchantes. Mais franchement, Mika avait été tellllllllllement méchante elle aussi!

J'ai presque fini de coudre mes créations
pour le défilé. Il me reste juste quelques
touches finales à ajouter demain soir. J'ai du
mal à croire que le défilé est dans deux jours!
𝔸𝔸𝔸ℍ!

Bonne nuit, cher journal.

Chapitre 13

Tout un cinéma!

Mardi

Mika est INCROYABLE! Elle n'a pas cessé d'essayer de me parler en classe aujourd'hui! Mais je l'ai plus ou moins ignorée. Je ne voulais pas entamer une autre discussion au sujet des chiens ou des chats avec elle, surtout pas la veille du GRAND défilé de mode. Elle n'arrêtait pas de dire : « Mais je veux juste emprunter... » Elle  rêve ou quoi? Comme si j'allais lui prêter quelque chose après ce qu'elle a dit hier!!!!!

Nous nous sommes bien amusées après l'école (grâce au CFCL!). Le Toilettage des toutous avait lieu chez Coco. Maxi a adoré! Je le sais parce qu'il n'a pas cessé d'agiter la queue.

Ensuite, la maman de Coco a invité Lulu et moi à souper. J'ai accepté bien sûr! Leur nourriture est 500 fois meilleure que celle de papa!

Nous avons mangé des spaghettis avec une drôle de sauce verte. Mme Corvino l'a appelée « pistou » mais je l'appelle **delicioso!** (DE PLUS, ce ne sont pas des œufs, donc c'est doublement délicieux!)

DELICIOSO=
mot italien qui veut dire « délicieux »

Après le souper, Lulu nous a raccompagnés (elle habite deux maisons plus loin) Maxi et moi. Puis elle est rentrée chez elle avec Blanche.

CHEMIN DU LOTUS

J'ai vraiment le trac pour demain, mais ce soir,
je suis bien contente de faire partie des filles
du CFCL. Je vais aller me coucher maintenant.
Bonne nuit, journal.

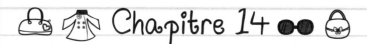

Chapitre 14

Qui a laissé sortir le chien?

Mercredi

OH NON!!!!!!!!

Maxi a disparu! Je ne me souviens plus si j'ai fermé la porte de la clôture ou non hier soir (je n'ai rien dit à papa...). J'étais si occupée à parler à Lulu en rentrant à la maison que je ne m'en rappelle plus. Et si tout cela était MA FAUTE???

Et si Maxi avait recommencé à creuser le sable dans le jardin de Mika? Et si Mika avait appelé la fourrière comme elle avait menacé de le faire?

Je suis triste et inquiète. Papa et moi avons cherché Maxi partout. Maintenant, je ne pense même plus au défilé de mode d'aujourd'hui (enfin, presque pas, tu sais ce que je veux dire). Je veux juste retrouver Maxi.

Je dois aller à l'école.

ZUT! Il ne reste plus que 20 minutes avant le début du défilé. Maxi n'est pas ENCORE revenu. Papa dit qu'il m'enverra un message texte s'il y a du nouveau. Aucun message pour le moment. ☹

OH MON DIEU!

ZUT multiplié par 1 000 000!!! Journal, tu ne devineras jamais ce qui est arrivé aujourd'hui!!!!!

Au défilé de mode, Mika présentait ses créations en premier. Et devine qui est monté sur scène pour les présenter? Nul autre que...

Oui, sur scène, vêtu d'un kimono pour chien! Maxi et Bob, le grand danois de Mika, étaient les « mannequins » de Mika!

Défilé
de mode

Créations
de
Mika

J'étais stupéfaite. Le reste des élèves aussi. Bien sûre, j'étais AUX ANGES de voir Maxi, mais je ne pouvais pas croire qu'il avait été KIDNAPPÉ par Mika! Je l'ai regardée et elle m'a adressé un SOURIRE! Un grand sourire même. Elle en a du toupet!!

Puis les « mannequins » de Mika ont quitté la scène, et Coco et Lulu ont présenté mes créations. J'étais à la fois ultra fâchée contre Mika et ultra nerveuse de présenter mes créations. Mais quand j'ai regardé les spectateurs, j'ai aperçu maman debout au fond de la salle. Quelle bonne surprise! Et tout le monde a applaudi mes créations! ☺

Après, Coco et Lulu sont venues dans les coulisses. Mika s'est approchée de moi.

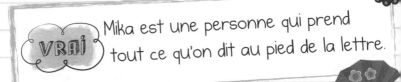

VRAI Mika est une personne qui prend tout ce qu'on dit au pied de la lettre.

Mika m'a dit : « Tu te souviens quand tu m'as dit "Maxi devrait être ton mannequin"? » Eh bien, mes paroles l'ont inspirée; elle a modifié ses créations à la dernière minute. Il s'avère qu'elle ne voulait pas non plus que ses tenues ressemblent aux miennes. Elle croyait que je venais de l'autoriser à emprunter Maxi pour le défilé de mode! Elle a dit qu'elle a essayé de vérifier hier (mais je l'ai ignorée à cause de notre dispute).

Mika a dit qu'elle avait seulement déclaré que les kimonos iraient mieux à Maxi (plutôt que Coco et Lulu) parce qu'elle pensait à des tenues pour chiens (et pourquoi pas pour mes poules à l'avenir!).

Mika a dit qu'elle a vu la porte de notre clôture ouverte quand elle s'est réveillée ce matin. Alors elle a pensé que je l'avais laissée ouverte exprès pour qu'elle puisse emprunter Maxi. (Je suppose que je devrais être contente que Maxi ne se soit pas fait VOLER. Et peut-être que je devrais m'excuser auprès de papa d'avoir laissé la porte ouverte une fois de plus.)

Désolée, papa.

La disparition de Maxi est en partie de ma faute.

 Mika n'est peut-être pas si méchante que ça en fin de compte...?

Après le défilé, Mika a dit qu'elle aimait mes tenues. Oh! Et nous avons gagné un prix toutes les deux!!! Je crois que Mlle Mélissa a cru qu'on avait travaillé ensemble.

Quand on est vraiment créative comme moi (et Mika!), parfois notre imagination galope, comme la mienne quand j'ai imaginé que Mika était méchante, qu'elle avait des fourmis, qu'elle était une copieuse et qu'elle avait enlevé mon chien. OUPS.

Je n'aurais pas pu gagner ce prix sans mes copines du chemin du Lotus! Coco et Lulu sont SUPER!

Peinture de Coco

Leur passion artistique a été récompensée. Coco a remporté le prix du portrait le plus ressemblant et Lulu a gagné le prix de l'objet d'art le plus utile.

J'ai fait un gros câlin à Maxi, puis j'ai couru voir maman et papa. J'étais si contente que maman soit rentrée à temps pour le défilé de mode! Demain, je vais lui raconter tout ce qui est arrivé durant son absence.

C'est une bonne chose que je te raconte TOUT, cher journal!!

Bon, c'est le moment d'aller célébrer notre succès avec les filles du CFCL!

Merci de m'avoir écoutée.
AU REVOIR!

Bisous!
Kiki

NE MANQUE PAS LE PROCHAIN LIVRE DU CHEMIN DU LOTUS

Kyla May

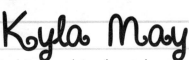

habite non loin d'une plage, en Australie, avec son mari, ses trois filles, ses deux chiens, ses deux chats et quatre cochons d'Inde.

Kyla May a grandi dans une rue bordée d'arbres avec ses meilleures amies (qui le sont encore aujourd'hui). Ensemble, elles ont créé un club de filles dont les activités consistaient à collectionner des autocollants et à faire du patin à roulettes. Kyla en était la présidente. Grâce à ses amies, elle a découvert la richesse de son imagination.

La première passion de Kyla est le dessin. Et sa deuxième est le chocolat.